D1095493

Pour Jake Berube

Elle, c'est une souris.

Lui, c'est un âne.

LANE SMITH

Et lui, c'est un singe.

GALLIMARD JEUNESSE

Qu'est-ce que
c'est que ça ?

C'est un livre.

Comment on fait
défiler le texte?

On ne peut pas.
Il faut tourner les pages.
C'est un livre.

On peut s'en servir
pour chatter?

Non, c'est un livre.

Où est ta souris?

On peut faire des combats
entre les personnages?

Nan !
Un livre, je te dis.

Ça envoie des textos?

Non.

Ça va sur Twitter?

Non.

Ça marche en Wi-Fi?

Non.

Ça peut faire ça?

Non...

C'est un livre.

Regarde.

– Harrrrrr !
dit Long John Silver
en hochant la tête.
Alors, on est d'accord ?
  Riant comme un dément,
il dégaina son large coutelas.
– Ha, ha, ha !
  Jim était pétrifié. C'était
la fin. Mais un navire apparu
au loin ! Un sourire éclaira
le visage du jeune garçon.

Trop de lettres, là-dedans.

Je vais arranger ça.

À part ça...

Qu'est-ce qu'il peut faire, ce livre?

Il a un code
d'accès ?

Non.

Il faut
un pseudo?

Non.

C'est un livre.

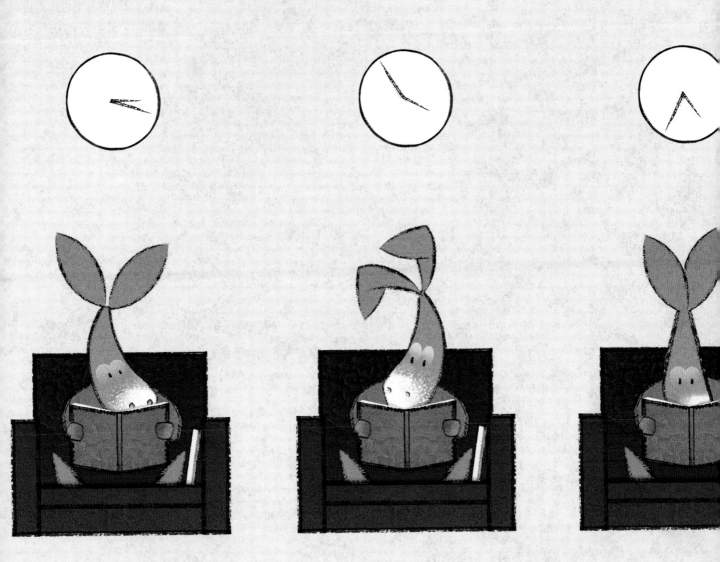

Tu vas me le rendre,
mon livre ?

Non.

Très bien.

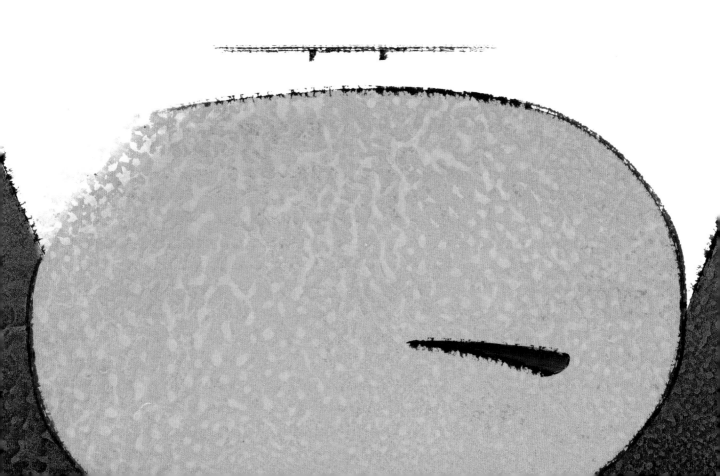

Je vais à la bibliothèque.

Sois tranquille, je le rechargerai
quand j'aurai fini !

CE NE SERA PAS NÉCESSAIRE...

C'EST UN LIVRE,
ESPÈCE D'ÂNE.